CHILE

LA LUZ DEL SILENCIO

PABLO VALENZUELA VAILLANT

Edición, textos y fotografías · Photographed, written and published by

PABLO VALENZUELA VAILLANT

·

Diseño y diagramación · Layout and design by

MARGARITA PURCELL MENA

·

Traducción al inglés · Translated by

PATRICIO MASON

·

Impresión · Printed by

MORGAN

I.S.B.N. 956 -7376 -16 - 6

Inscripción - Registration
N° 123.052
Derechos reservados de los textos y fotografías
All rights reserved for texts and photographs

Primera Edición 2001 · First Printing, 2001

Pablo Valenzuela Vaillant
Napoleón 3565 Of. 604 Fono/ Fax: (56 2) 203 7141 · Santiago - Chile
E-mail: pablo@pablovalenzuela.cl
www.pablovalenzuela.cl

Impreso en Chile - Printed in Chile

AL NORTE, INCONMENSURABLES LLANURAS Y SERRANÍAS RESECAS, A LA SOMBRA DE GIGANTESCOS VOLCANES QUE CASI TOCAN EL CIELO. AL SUR, UN LABERINTO DE FIORDOS Y CANALES SALPICADOS DE GLACIARES Y SELVA INDÓMITA. COMO UN LARGO Y ESTRECHO ESCALÓN QUE CAE DE LOS ANDES AL PACÍFICO, EL TERRITORIO CHILENO OFRECE EL MÁS INCREÍBLE REPERTORIO DE CLIMAS Y PAISAJES. DESIERTO EN EL EXTREMO NORTE, HIELOS EN LA PATAGONIA AUSTRAL. CHILE, TIERRA DE EXTREMOS. NATURALEZA SORPRENDENTE. PARAÍSO DE LA AVENTURA. AQUÍ ABUNDAN LAS CUMBRES POR CONQUISTAR, LOS VALLES POR DESCUBRIR. LOS INVITO A CONOCER ESTE TERRITORIO FASCINANTE, ESTA TIERRA DE CONTRASTES EN EL ÚLTIMO RINCÓN DEL SUR DE AMÉRICA.

TO THE NORTH, NEVER-ENDING DESERT EXPANSES AND PARCHED HEIGHTS UNDER THE SHADOW OF MASSIVE VOLCANOES WHICH SEEM TO TOUCH THE SKY. TO THE SOUTH, A MAZE OF FJORDS AND CHANNELS DOTTED BY GLACIERS AND UNCONQUERED WILDERNESS. A LONG, NARROW STAIRWAY DESCENDING FROM THE ANDES INTO THE PACIFIC, CHILE POSSESSES A MOST REMARKABLE REPERTOIRE OF CLIMATES AND LANDSCAPES -FROM DESERT ON THE NORTHERN EDGE TO ICEBOUND EXPANSES IN PATAGONIA ON THE SOUTH. CHILE IS A LAND OF EXTREMES. OF OVERWHELMING NATURE. A PARADISE FOR ADVENTURE TRAVEL. A LAND OF SUMMITS TO BE CONQUERED AND VALLEYS TO BE DISCOVERED. I EXTEND AN INVITATION TO LEARN MORE ABOUT THIS FASCINATING LAND OF CONTRASTS ON THE FARTHEST CORNER OF SOUTH AMERICA.

CHILE

IQUIQUE
I REGION

ANTOFAGASTA
II REGION

COPIAPO
III REGION

LA SERENA
IV REGION

VALPARAISO
V REGION

SANTIAGO
R.M.

TALCA
VII REGION

RANCAGUA
VI REGION

CONCEPCION
VIII REGION

TEMUCO
IX REGION

PUERTO MONTT
X REGION

COYHAIQUE
XI REGION

PUNTA ARENAS
XII REGION

"ACUERDO ENTRE LA REPUBLICA DE CHILE Y LA REPUBLICA ARGENTINA
PARA PRECISAR EL RECORRIDO DEL LIMITE DESDE EL MONTE
FITZ ROY HASTA EL CERRO DAUDET"   (Buenos Aires, 16 de diciembre de 1998)

CHILE
ISLAS ESPORADICAS, ISLAS
DIEGO RAMIREZ Y
TERRITORIO CHILENO ANTARTICO

TERRITORIO
CHILENO
ANTARTICO

POLO   SUR

Valle de la Luna, II Región · *Valle de la Luna, Region II*

Isluga, I Región · Isluga, Region I

Situado al interior de Iquique, en las cercanías de la frontera con Bolivia, Isluga es uno de los pueblos que mejor conserva la arquitectura típica del altiplano. Al igual que muchos otros caseríos de la zona, sus pintorescas casas permanecen solitarias gran parte del año y sólo reviven con ocasión de las fiestas religiosas.

Isluga, a village in the interior of Iquique near the border with Bolivia, provides remarkable examples of the distinctive construction style of the High Andes. As in other local villages, Isluga's picturesque homes -deserted through most of the year- come alive on occasion of religious festivals.

San Pedro de Atacama, II Región · San Pedro de Atacama, Region II

El encantador poblado de San Pedro de Atacama es el punto ideal para descubrir las maravillas del desierto y el altiplano del Norte Grande. El auge del turismo en los últimos años ha hecho de este pueblo uno de los rincones más visitados del norte de Chile.

The captivating town of San Pedro de Atacama is an ideal jumping-off point to discover the desert and highland wonders of Chile's Greater North. In recent years the town has become one of northern Chile's most popular destinations for foreign travelers.

Salar de Surire, I Región · Surire Salt Fields, Region I

Allá lejos, donde reinan las altas cumbres y donde los majestuosos volcanes delinean el horizonte, se descubre uno de los paisajes más fascinantes del cordón andino. Con varias lagunas en su interior, el salar de Surire constituye un valioso hábitat para vicuñas y flamencos.

High up, where tall mountains reign supreme and majestic volcanoes rule the skyline, there stands one of the most fascinating landscapes the Andes have to offer. Ponds dotting the Surire Salt Fields provide an invaluable habitat for rare vicuñas and flamingoes.

Bofedal de Enquelga, I Región · Enquelga Plumed Grasslands, Region I

Parque Nacional Lauca, I Región · Lauca National Park, Region I

Bofedal de Parinacota, I Región · Parinacota Plumed Grasslands, Region I

Lagunas de Cotacotani, P.N. Lauca, I Región · Cotacotani Lagoon, Lauca N.P., Region I

En el preciso instante en que el sol se esconde tras el horizonte, un maravilloso juego de luces y colores se apodera de las cumbres y cielos altiplánicos. A un costado del lago Chungará se yerguen imponentes los volcanes Pomerape (6.240 m.) y Parinacota (6.330 m.), figuras emblemáticas del Parque Nacional Lauca.

As the sun dips below the horizon, the tall peaks and skies of the High Andes are awash in a wondrous display of lights and colors. Near the shores of Lake Chungará there stand 6,240-m Mt. Pomerape and 6,330-m Mt. Parinacota -the tell-tale twin signposts of Lauca National Park.

Nevados de Payachata, I Región · Mt. Payachata, Region I

Baños de Polloquere, Salar de Surire, I Región · Polloquere Hot Springs, Surire Salt Fields, Region I

Darse un baño a más de 4.000 metros en una terma natural y con una magnífica vista del salar de Surire es un privilegio único del altiplano nortino.

Taking the waters at hot springs standing at over 4,000-m altitude and featuring a magnificent view of the Surire Salt Fields is one of the rare privileges the northern highlands of Chile can offer.

Geisers del Tatio, II Región · El Tatio Geysers, Region II

Al norte de San Pedro de Atacama, y a unos 4.200 metros sobre el nivel del mar, los geisers del Tatio sorprenden cada amanecer con un espectáculo de luces y sombras.

North of San Pedro de Atacama, some 4,200 m above sea level, the famed Tatio geysers put on an extraordinary daybreak display of light and shade.

Camino al Salar de Atacama, II Región · Road to the Atacama Salt Fields, Region II

Salar de Pujsa, II Región · Pujsa Salt Fields, Region II

Con las cumbres andinas como telón de fondo, emerge imponente la cordillera de la Sal. Este particular cordón montañoso, situado al poniente de San Pedro de Atacama, da origen a las más inusitadas formaciones de roca y arena. Es aquí donde se extiende el Valle de la Luna, verdadero hito del desierto chileno.

With Andean heights as a backdrop, Salt Mountain emerges imposing. This unusual formation, west of San Pedro de Atacama, is noted for its singular rocky and sandy structures. This is the gateway to the Valle de la Luna, one of the most remarkable landmarks of the Chilean desert.

Valle de la Luna, II Región · Valle de la Luna, Region II

Portada de Antofagasta, II Región · Portada de Antofagasta, Region II

La costa abrupta y acantilada del desierto de Atacama se hunde en forma violenta bajo las aguas del Pacífico. Al norte de Antofagasta, junto a una pequeña playa escondida bajo un paredón, la Portada da testimonio del lento proceso erosivo de las aguas.

Abrupt cliffs plunge just about vertically from the Atacama Desert into the Pacific Ocean. North of Antofagasta, near a small beach ensconced behind a rocky wall, the Portada rock bears witness to the erosive effect of ocean waves on the shoreline.

Bahía Inglesa, III Región · Bahía Inglesa, Region III

El norte de Chile no sólo atrae por la belleza del desierto y el altiplano, sino también por sus playas. Al sur de Caldera, la costa de Atacama despliega una sucesión de roqueríos alternados con playas de arena blanca y agua turquesa.

The north of Chile beckons not just for its striking desert and highland scenery, but also for the beauty of its beaches. South of Caldera, the Atacama coastline breaks into a myriad rocky shores interspersed with white sandy beaches of turquoise waters.

Flamencos, Laguna Santa Rosa, III Región · Flamingoes on Santa Rosa Lagoon, Region III

Laguna Verde, III Región · Verde Lagoon, Region III

Laguna Verde, III Región · Verde Lagoon, Region III

Isla de Pascua, V Región · Easter Island, Region V

En la mitad del Pacífico, a gran distancia de la costa sudamericana, la Isla de Pascua guarda el más valioso tesoro arqueológico. Cubierta casi enteramente de pastizales, su costa acantilada esconde dos playas preciosas y otros sitios ideales para la práctica del buceo.

Easter Island, on the Pacific Ocean off the coast of South America, is a repository for an extremely valuable archeological heritage. Its rugged coastline, blanketed throughout in tall grasses, conceals the finest of beaches and diving sites.

Volcán Rano Raraku, Isla de Pascua, V Región · Mt. Rano Raraku, Easter Island, Region V

Las gigantescas dimensiones de los moais no fueron impedimento para su traslado desde las canteras situadas en los cerros. Algunos en pie, otros semienterrados y muchos a medio construir, los moais de Rano Raraku constituyen uno de los sitios más sobrecogedores de toda la isla.

The enormous size of the moai sculptures was no object for the skilled artisans who had them hauled from stone quarries to their final emplacement. The moai of Rano Raraku -some standing, some half-buried, yet others left unfinished- afford some of the most awe-inspiring vistas in the entire island.

Valparaíso, V Región · Valparaíso, Region V

No existe otra ciudad en Chile que posea el singular encanto de Valparaíso. Casi descolgándose de los cerros que dan al Pacífico, es un intrincado laberinto de escaleras, pasajes y ascensores que trepan en medio de casonas antiguas de influencia europea.

———————————

Chile has no other town matching Valparaíso's unique charm. Precariously perched on a myriad hills facing the Pacific, the port is an intricate maze of stairways, alleys, and cable cars set amidst aging European-style homes.

Camino a Viña del Mar, V Región · Road to Viña del Mar, Region V

Inmediatamente al norte de Valparaíso, la ciudad de Viña del Mar es el barrio residencial del principal puerto del país. Decenas de playas y balnearios cercanos conforman el más importante hito turístico de la zona central del país.

Viña del Mar, just north of Valparaíso, is the mostly residential section of Chile's main port. Scores of beaches and beach resorts configure one of Central Chile's busiest tourist circuits.

A los pies del volcán Rano Raraku se levanta el sitio ceremonial más grande de la Isla de Pascua. El Ahu Tongariki, compuesto por quince moias alineados y que dan la espalda al mar, es uno de los tantos rincones sorprendentes de este museo al aire libre.

———————————

The Ahu of Tongariki, Easter Island's largest ceremonial site, stands at the foot of Mt. Rano Raraku. The Ahu, a row of 15 perfectly-aligned moai facing away from the sea, is one of many remarkable spots afforded by this open-air island museum.

Ahu Tongariki, Isla de Pascua, V Región · Tongariki Ahu, Easter Island, Region V

La Parva, Región Metropolitana · La Parva, Santiago

Sierras de Bellavista, VI Región · Sierras de Bellavista, Region VI

Cajón del Maipo, Región Metropolitana · Maipo River Valley, Santiago

La proximidad de los Andes a la ciudad de Santiago es un privilegio para sus habitantes. Durante el invierno la nieve está a un paso e incluso cubre los sectores altos de la capital. Varios centros de esquí dominan desde lo alto la ciudad y son fácilmente alcanzables tras un corto viaje.

Close proximity to the Andes is one of the privileges of life in Santiago. In wintertime, when snow often blankets residential areas near the foothills, a skiing break at one of several ski resorts is a short hop away.

Santiago, Región Metropolitana · Metropolitan Santiago

En pleno valle central y con la cordillera de los Andes como telón de fondo, la capital de Chile concentra una parte importante de la población de este país. Si bien Santiago no posee la riqueza colonial de otras ciudades latinoamericanas, en ella contrastan señoriales barrios de comienzos del siglo pasado con modernas edificaciones actuales.

Presiding over Chile's Central Valley with the Andes as a striking backdrop, Chile's capital is home to most of the country's population. While Santiago cannot match other Latin American cities for colonial architecture, its blend of stately early 20th century neighborhoods and modern high-rises is equally attractive.

Reserva Nacional Altos de Lircay, VII Región · Altos de Lircay National Reserve, Region VII

Cajón del Maipo, Región Metropolitana · Maipo River Valley, Santiago

Al oriente de Santiago, en medio de los contrafuertes andinos, se extienden los angostos valles de montaña. Dominados por cumbres que superan los 5.000 metros, los Andes centrales son el paraíso de los andinistas, los que con frecuencia se internan allí en busca de nuevos objetivos.

East of Santiago, the Andean foothills are criss-crossed by narrow valleys. Overshadowed by mighty peaks over 5,000 m tall, the central Andes are a mountain climber's paradise.

Viñedos, Valle del Tinguiririca, VI Región · Vineyards in Tinguiririca Valley, Region VI

Gracias a su clima privilegiado, en la zona central de Chile se consiguen las mejores frutas. Mención especial merecen los extensos viñedos que cubren ciertos valles de la zona y que producen vinos de extraordinaria calidad. Las diferentes rutas turísticas del vino descubren la magia y espíritu del valle central.

Its unique climate helps Central Chile grow truly delectable fruit products. Of special note are the vast vineyards where Chile's famed wines originate. Wine trail tours help visitors discover the magic and spirit of Chile's Central Valley.

Los Molles, V Región · Los Molles, Region V

Costa al Sur de Constitución, VII Región · Coastline South of Constitución, Region VII

Coihues, Parque Nacional Villarrica, IX Región · Coihues, Villarrica National Park, Region IX

Radal Siete Tazas, VII Región · Radal Siete Tazas, Region VII

Río Pangue, Alto Biobío, VIII Región · Pangue River, Alto Biobío, Region VIII

Lago Villarrica, IX Región · Lake Villarrica, Region IX

Antiguamente rodeado de bosques impenetrables, el lago Villarrica es en la actualidad uno de los balnearios más importantes del sur de Chile.

Formerly encircled by dense forest, Lake Villarrica is now one of southern Chile's most popular resort areas.

Cráter Navidad, Volcán Lonquimay, IX Región · Navidad Crater on Mt. Lonquimay, Region IX

Chile es, sin duda, una tierra de volcanes. A lo largo de todo el territorio, desde el Altiplano a los fiordos australes, conforman un elemento esencial del paisaje chileno.

Chile is, without a doubt, volcano country. From the highlands of the north to the deep fjords of the far south, volcanoes are a ubiquitous component of the Chilean landscape.

Parque Nacional Huerquehue, IX Región · Huerquehue National Park, Region IX

Lago Conguillío, IX Región · Lake Conguillío, Region IX

Cubierto totalmente de nieve durante el invierno, la figura imponente del Villarrica emerge sobre los lagos y bosques de la Araucanía. Alcanzar la cumbre de este volcán -uno de los más activos de Sudamérica-, constituye un preciado objetivo de los excursionistas que año a año visitan el balneario de Pucón.

Snow-capped through most of the winter, the magnificent outline of Mt. Villarrica towers above the lakes and forests of Araucanía. Making the summit of the Villarrica -one of South America's most active volcanoes- is the pursuit of choice for the many climbing enthusiasts visiting nearby Pucón every year.

Volcán Villarrica, IX Región · Mt. Villarrica, Region IX

Araucarias, Cordillera de las Raíces, IX Región · Araucarias, Las Raíces Mountain Range, Region IX

Perfectamente recortadas contra el cielo, las esbeltas araucarias delinean las aristas de la cordillera de las Raíces. Considerado Monumento Natural, este majestuoso árbol crece tanto en la cordillera de Nahuelbuta como también en el cordón andino del Biobío y la Araucanía.

Perfectly silhouetted against the sky, slender araucarias smooth out the rough edges of Las Raíces Mountain Range. This majestic protected species grows only in the Nahuelbuta Mountain Range and in the Andean heights of Biobío and Araucanía.

Araucarias, Volcán Llaima, IX Región · Araucarias, Mt. Llaima, Region IX

La nieve que cubre las montañas de la Araucanía da un aire mágico a los bosques de araucarias que allí crecen. Quien emprenda la aventura de ascender el volcán Llaima por la cara oeste, podrá caminar a la sombra de estos gigantes del bosque.

The snow capping the mountains of Araucanía imparts an ethereal appearance to Araucaria stands. Those brave enough to climb Mt. Llaima from its challenging west face can walk under these mighty giants of the native forest.

Lenga en Otoño, Valle del Cautín, IX Región · Lenga Trees in the Fall, Cautín River Valley, Region IX

De un color intenso durante el otoño, la lenga colma de belleza los sectores altos de gran parte de las montañas sureñas, desde el Maule a la Patagonia. A lo largo de todo el territorio, varios parques y reservas nacionales salvaguardan la existencia de esta especie, una de las más representativas del bosque austral.

Displaying bright fall colors, lenga trees impart remarkable beauty to mountains from Maule to Patagonia. Throughout Chile, several national parks and nature sanctuaries help preserve this protected species -one of the most representative of Chile's unique native forest.

Laguna Blanca en Otoño, IX Región · Blanca Lagoon in the Fall, Region IX

Para quienes disfrutan observando el espectáculo del otoño, nada mejor que internarse en los Andes de la Araucanía. Y es que en esta zona crece la mayoría de las especies caducifolias del bosque chileno. Particularmente llamativo resulta el contraste de los ñirres y lengas otoñales frente al verde eterno de las araucarias.

For those who enjoy the wonders of the fall season, nothing surpasses a hike into the Andes of Araucanía, home to the largest assortment of deciduous trees the Chilean native forest has to offer. The fall colors of ñirres and lengas provide a striking contrast to the perennial green dress of the araucarias.

Volcán Osorno, X Región · Mt. Osorno, Region X

Campos de Raps, Valle del Cautín, IX Región · Rapeseed Fields, Cautín River Valley, Region IX

Futaleufú, X Región · Futaleufú, Region X

Iglesia en Lago Llanquihue, X Región · Church on Lake Llanquihue, Region X

Arquitectura Típica, Lago Llanquihue, X Región · Building Design Typical of the Lake Llanquihue Area, Region X

Volcán Puntiagudo, X Región · Mt. Puntiagudo, Region X

Lago Panguipulli, X Región · Lake Panguipulli, Region X

Hablar del sur de Chile es hablar de volcanes, bosques, ríos y lagos. El cautivante escenario de esta región -paraíso de los deportes al aire libre-, colma el territorio de rincones de extraordinaria belleza. A los pies del volcán Choshuenco, el Panguipulli forma parte de un sistema de lagos interconectados por ríos que finalmente vierten sus aguas en las inmediaciones de Valdivia.

To speak of the south of Chile is to speak of volcanoes, forests, streams, and lakes. The extraordinary beauty of the captivating vistas in this region -a true paradise for lovers of the outdoors- never ceases to amaze. At the foot of Mt. Choshuenco, the Panguipulli is but one of a vast network of lakes linked by streams draining into the sea near Valdivia.

Vista Aérea Parque Pumalín, X Región · Aerial View of Pumalín Park, Region X

Sobrevolar el Parque Pumalín es una magnífica oportunidad para descubrir la intrincada geografía de Chiloé Continental. Desde lo alto se aprecia el más increíble rompecabezas de fiordos, ríos, lagos, selva y glaciares.

An overflight of Pumalín Park affords a magnificent opportunity to behold the tortuous geography of mainland Chiloé. From way up high, a truly amazing picture puzzle of fjords, streams, lakes, forests, and glaciers emerges.

Navegación en Cordillera Darwin, XII Región · Sailing the Darwin Mountain Range, Region XII

Fiordo Reñihué, Parque Pumalín, X Región · Reñihué Fjord, Pumalín Park, Región X

Parque Nacional Queulat, XI Región · Queulat National Park, Region XI

Seno Garibaldi, XII Región · Garibaldi Sound, Region XII

Parque Nacional Queulat, XI Región · Queulat National Park, Region XI

La alta pluviosidad imperante en los fiordos de Aisén crea las condiciones favorables para el crecimiento de una tupida selva fría y siempreverde. Más al oriente, traspasando el murallón andino, aparecen los bosques caducifolios de lengas y ñirres, los que cada otoño visten de colores cumbres y valles de la Patagonia.

The heavy rains prevailing in the fjords of Aisén provide optimal conditions for the growth of a thick evergreen rainforest. Further east, beyond the Andean walls, are the domains of deciduous forests of lengas and ñirres which every fall seas on dress the heights and valleys of Patagonia in astonishing color.

Río Cisnes, XI Región · Cisnes River, Region XI

Cueva del Milodón, XII Región · Cave of the Milodon, Region XII

Parque Nacional Torres del Paine, XII Región · Torres del Paine National Park, Region XII

En el extremo austral de Chile, en pleno corazón de la Patagonia, el macizo del Paine recrea uno de los escenarios de montaña más espectaculares del planeta. Todo se configura para hacer de este lugar el paraíso tanto de excursionistas aficionados como de escaladores extremos.

Set in the heart of the Chilean Patagonia, the craggy Paine peaks afford one of the world's most striking mountain sceneries. Everything coalesces to turn this remote corner into a paradise both for the nature traveler and the most daring of mountain climbers.

Macizo del Paine, XII Región · Paine Massif, Region XII

Puerto Natales, XII Región · Puerto Natales, Region XII

Fiordo Queulat, XI Región · Queulat Fjord, Region XI

Lago Grey, XII Región · Lake Grey, Region XII

Puerta de entrada al Campo de Hielo Sur, el Grey es uno de los tantos glaciares que nacen de esta gigantesca masa helada que cubre el territorio austral. A los pies del espectacular macizo del Paine, los incontables témpanos que se acumulan en el desagüe del lago sorprenden por su tamaño y colorido.

Grey Glacier, gateway to the Southern Ice Field, is one of several spawned by the giant mass of ice blanketing parts of the far south of Chile. At the foot of the stunning Paine peaks, visitors are amazed by the size and color of the innumerable ice floes clogging the lake mouth.

Laguna San Rafael, XI Región · San Rafael Lagoon, Region XI

Los enormes Campos de Hielo Sur y Norte, que cubren una buena parte del territorio austral del país, dan origen a decenas de glaciares que avanzan desde las altas cumbres hasta morir en lagunas y fiordos.

The vast Southern and Northern Ice Fields, which blanket substantial portions of the far south of Chile, spawn tens of glaciers that slide ever so unhurriedly into fjords and lagoons.

Lago Pehoé y Cuernos del Paine, XII Región · Lake Pehoé and Cuernos del Paine, Region XII

Laguna San Rafael, XI Región · San Rafael Lagoon, Region XI

Luego de sortear algunos fiordos y canales australes, aparece la fantástica laguna San Rafael, precioso espejo de agua cubierto de témpanos que viajan a la deriva.

The reward after negotiating fjords and channels is stunning San Rafael Lagoon, an astonishing reflecting pool where ice floes float lazily by.